Altijd maar

Bies van E

met tekeningen van Mark Baars

sterretjes

Zwijsen

Altijd maar draaien

Mats maakt fietsen.
Het staat op de deur van zijn zaak.
mats maakt fietsen.
Hij kan dat heel snel.
Mensen willen dat.
Hun fiets moet snel klaar zijn.
Er is altijd haast bij.
Mats draait aan een schroef.
Hij draait een moer vast.
En een bout.
Hij zorgt dat het wiel goed loopt.
En de ketting.
Hij zingt erbij.
Niet omdat hij het fijn vindt.
Juist niet.
Hij verveelt zich rot.
Daarom zingt hij.

Ik draai maar weer.
Ik draai elke keer.
Waar doe ik het voor?
Op een dag draai ik nog door.

Na veel draaien is de fiets klaar.
De klant komt hem halen.
'Fijn,' zegt de klant.
'En wat snel.'
'Ja,' zegt Mats dan.
'U had zeker haast?
U wilt snel weer weg?'
'Ja Mats, dat klopt.'
De klant gaat gauw weg.
Altijd haast.
En Mats?
Mats kijkt hem na.
Alles draait, denkt hij.
En ik draai ook.

Ik draai maar weer.
Ik draai elke keer.
Waar doe ik het voor?
Op een dag draai ik nog door.

4

Zo gaat dat elke dag.
Een fiets die stuk is, komt.
Een fiets die weer heel is, gaat.
En is zo'n klant blij?
Ja, blij dat zijn wiel draait.
Dat de rem het doet.
En het licht.
Maar tijd heeft hij niet.
Snel weg!
Ik heb haast!

En op een dag denkt Mats:
Ik ben het zat.
Ik stop ermee.
Want ik draai maar weer.
Ik draai elke keer.
Waar doe ik het voor?
Op een dag draai ik nog door.
Mats doet zijn zaak op slot.
Hij loopt de straat op.
Dat deed hij vroeger nooit.
Hij was altijd binnen.
Hij draaide altijd maar.

Het is leuk op straat.
Wat een drukte.
Er staat een orgel op het plein.
De man van het orgel draait een wiel.
Als hij dat doet, hoor je muziek.

Hee, denkt Mats.
Dat is leuk.
Ik houd van muziek.
Mensen houden van muziek.
Het maakt ze blij.
'Mag ik een keer?'
'Best,' zegt de man.
'Maar het is moeilijk hoor.
Als je fout draait, wordt de muziek vals.'
'O,' zegt Mats.
Het klinkt leuk.
Hij pakt het wiel.
Hij draait een lied.
Het is een blij lied.
Mats draait en draait.
Hij denkt:
Muziek is net fietsen maken.
Alleen maar draaien.
En wat zo gek is:
Hij kan zingen op het lied.

Ik draai maar weer.
Ik draai elke keer.
Waar doe ik het voor?
Op een dag draai ik nog door.

Mats kijkt naar de mensen.
Vinden ze zijn lied leuk?
Zo te zien niet.
Ze horen het niet eens.
Ze lopen snel door.
Ze hebben ... haast.
Mats zet een keel op.
Hij draait en hij zingt.
Hij zingt zo hard hij kan:

Ik draai maar weer.
Ik draai elke keer.
Waar doe ik het voor?
Op een dag draai ik nog door.

Er is geen mens die stopt.
Geen mens die luistert.
Bah, denkt Mats.
Dit is niet leuk.
Hij groet de man van het orgel.
Hij loopt door.
Mats komt bij een kermis.
Er is veel te doen.
Mats kijkt toe.
Wat een gedraai.
En wat een lawaai.
Een kind zit op een bank.
Het ziet erg wit.
'Wat is er?' vraagt Mats.

'Heb je het niet naar je zin?'
'Blub,' zegt het kind.
'Alles draait.
Mijn hoofd draait.
Deze bank draait ook.
Het is niet leuk!
Bah!'

11

Tja, denkt Mats.
Te veel gedraaid.
Dan krijg je dat.
Hij denkt aan zijn lied:

Ik draai maar weer.
Ik draai elke keer.
Waar doe ik het voor?
Op een dag draai ik nog door.

Hij geeft het kind een aai.
'Blijf maar even hier,' zegt hij.
'Je hebt te veel gedraaid.
Dan draai je door.
Ik weet er alles van.
Maar het gaat wel over.'
Het kind knikt.
Het ziet nog pips.
Zie je nou, denkt Mats.
Draaien is niet leuk.
Niet als je het lang doet.
Ook op de kermis niet.
Mats loopt door.
Hij humt zijn lied.

Ik draai maar weer.
Ik draai elke keer.
Waar doe ik het voor?
Op een dag draai ik nog door.

Hij komt bij een plein.
Het is een stil plein.
Er is geen muziek.
Er zijn geen mensen met haast.
Er staan oude bomen.
Er is een eethuis op het plein.
Bij de bomen staan tafels.

Mats gaat zitten.
Wat is het hier fijn!
Hij zou best iets lusten.
Een glas sap.
Of een kop soep.
De baas van het eethuis komt.
Mats krijgt de kaart.
'Fijn,' zegt Mats.
'Ik heb wel trek.'
'Heb maar dorst,' zegt de baas.
'Want eten hebben we niet.'
'Waarom niet?' vraagt Mats.
De baas zucht.
'De kok wil niet meer.
Hij is het draaien zat.'
Iemand schreeuwt boos.
Mats kijkt om.

Er komt een kok het eethuis uit.
Hij roept iets in een vreemde taal.
Mats verstaat het niet.
Maar hij begrijpt het wel.
Je kunt zien wat hij bedoelt.
Oei, wat kijkt hij boos!
'Ziet u,' zegt de baas.
'De kok is het zat.
Hij wil niet meer.'
De baas zucht.
'En straks komt er een klas.

Vijftien keer pizza.'
De kok hoort het woord pizza.
Hij zwaait met zijn hand.
Hij draait er een rondje mee.
Hij roept er boze woorden bij.

'Waarom doet hij dat?' vraagt Mats.
'Zo maak je de koek van een pizza.'
De baas doet het voor.
Hij draait rondjes met zijn hand.
De kok praat weer boos.
Mats denkt aan zijn lied.

Ik draai maar weer.
Ik draai elke keer.
Waar doe ik het voor?
Op een dag draai ik nog door.

Mats is dol op pizza.
Van pizza eten word je blij.
Geen mens die pizza vies vindt.
Bij pizza weet je waar je het voor doet.
Voor een fijn vol gevoel.
Voor een goede bui.
'Mag ik eens?' vraagt hij.
De baas kijkt hem aan.
'Het is heel moeilijk,' zegt hij.

'Mag ik tóch een keer?' vraagt Mats.
De baas neemt hem het eethuis in.
Er ligt een bol deeg op een plank.
'Elke bol is een pizza,' zegt de baas.
'De koek moet zo dun zijn als papier.'
Mats pakt de bol.
Hij rekt hem wat uit.

Dan legt hij het deeg op zijn pink.
En Mats draait.
Hij zingt er zijn lied bij:

Ik draai maar weer.
Ik draai elke keer.
Waar doe ik het voor?
Op een dag draai ik nog door.

Wat is dit leuk.

De pizza wordt groot.

Hij wordt dun en rond.

De baas klapt luid.

'U bent een held!' zegt hij.

'Blijf maar hier.

Dan word jij mijn kok.'

En zo heeft Mats weer werk.

Leuk werk.

Hij wordt beroemd.

En zijn pizza ook.

Het wordt druk in het eethuis.

Heel erg druk.

De mensen komen blij binnen.

Ze gaan twee keer zo blij weer weg.

Maar eerst blijven ze lang aan tafel.

Ze praten met elkaar.

Want dat doe je als je pizza's eet.

Dan maak je het leuk.

Dan heb je geen haast.

En zo heeft Mats het ook leuk.

Heel leuk.

Zijn lied zingt hij niet meer.

Nou ja, af en toe.

Maar dan met nieuwe woorden.

Ik draai wel weer.
Ik draai wel weer.
Ik doe het voor jou.
En omdat ik van pizza hou.

sterretjes bij kern 12 van Veilig leren lezen

na 34 weken leesonderwijs

1. Kat Kaat is weg
Joke de Jonge en Juliette de Wit

2. Altijd maar draaien
Bies van Ede en Mark Baars

3. Bij papaboot
Elisabeth Marain en John Rabou